구태여 소리 낸 여름

자두 한 알 베어 물지 않을래?
제철 과일 베어 물며
스치는 것들에 나의 여름을 담아,

2024년 7월
단하

1부 구태여 소리 낸 여름

2부 서툰 나의 세계

1부
구태여 소리 낸 여름

복귀한 초록이 울린다

복귀한 초록이 울린다
곳곳에 널린 새순은 숲이 되어 울린다
겨우내 잠을 자다 봄에 깨어난 종자는
이제야 여름을 맞는다
물에 비친 상도 땅에 수 놓인 그림자도
구름 뜬 하늘마저도 초록이 드리운다

끝이 없는 생을 사는 이들 속에서
결말을 맞이할 우리는
그저 그렇게 살아왔더라도
그저, 그렇게 살아가길

우리를 말로 한정하지 말자
언어에 묶여 나아가지 못한 지난날은
빈 깡통에 넣어 태워버리자

누구나 우릴 볼 수는 있어도

우리 아무나 보지는 말자

서로를 눈에 담고 숨에 머금어

언제든 허기를 달래자, 갈증을 달래자,

서로를 달래자, 붙잡고 달리자,

근사하게도 마주친 우연과

작별을 고할 인연들 사이에서

우리 그저 살아가길

다가올 초록과 복귀한 초록

종국엔 이내 지나갈 초록

아직은 연초록인 숲에 서

아직 내지 않은 길 앞에 서

초록이 필 흙에 발을 내딛자.

초록의 계절

무성한 나무의 잎처럼
여름엔 초록이 가득해

미끈거리는 그늘 속의 이끼도
몸을 피한 잎 아래 애벌레도
매달린 초록빛의 매실과
넝쿨 딸린 수박도.
익지 않은 과실들의 푸르름.

누군가의 한창인 초록과
누군가의 도약인 초록.

여름은 초록의 계절,
저미디 디른 이유로 푸르른
지금은 여름.

김매지 못한 밭에 자란
잡초마저 푸르다는 사실을
이듬해 또다시 틔울 싹도
푸를 것이라는 사실을
이미 알고 있다.

우리를 요약할 초록(抄錄)에는
어떤 초록이 쓰일까.

여름 성에 꽃

창을 닫아도
더는 성에가 피지 않으며

이제 더는
성에도 결로도 입김도 없는

봄을 지난 여름
우리는 이제 땀을 흘리고

창에 피어난 꽃은
그때가 언제든 명이 짧다

흐른 땀이 마르길 기다릴 수 없어
그저 그 위에 찬물을 쏟아내고

빼앗기는 체온이 아직은 모자라
마주 본 체 등을 맞대

그래도 우리는 같은 곳으로
걸어갈 것이라고.

오늘 증발하는 이 땀과 물이
돌고 돌아 올해 겨울
성에는 꽃으로 피어나

원치 않았던 축지

어느 순간 느리게 걷는 법을 잊었다.

어릴 적 나는 걸음에 놓인 순간들을 사랑해서 느릿하게 걸었다.

내 걸음 앞에 펼쳐진 길과

내 걸음 앞에 줄지은 자동차, 행인, 들고양이.

내 걸음 앞에 늘어진 시간.

그것들이 아주 좋아서 아주 느릿느릿 걸었었다.

노래도, 휴대전화도 없이.

그 짧은 길을 늘이고 늘여서 아주 긴 길을 걸었었다.

그러나 나는 지금 보폭도 크게 바삐도 걷는다.

나는 무엇을 잊었나요.

내 걸음 앞의 것들은 어디로 갔나요.

후회하지 않는 나의 추락은 마치 이카로스의

여름의 햇살은
모든 걸 반짝거리게 해

네가 하는 모든 것이
동경의 대상이었다

너를 따라 나도 하늘에 오르다
이카로스의 날개처럼

강렬에 녹아 흘러내린 나의 밀랍은
바다의 파동에 힘을 더하고

풍덩
!

나의 추락은 여기
내가 일군 파도의 조각은
빛을 받아 퍽 아름다워

그걸로 됐어
어찌 되었든 아름다운 결말이니.

찬란히 맞이한 나의 결말
만족스런 마지막 종말.

소금쟁이

비를 맞아 식어가는 녹음
소금쟁이가 보이지 않게 된 건 언제부터일까
어릴 적 유리병에 가두었던 소금쟁이를 떠올리며
유지되지 못한 이들은 지금 어디에, 어디로.

이제는 유리병이 아닌 기억의 심연 속에 갇혀버린 것들

그렇대도 피부를 적신 개구리가 총총대고
눅눅함을 알고 나온 달팽이는 빗방울에 더듬이를 숨기
며
메마른 이끼는 다시 미끈거림을 되찾는다.

사라진 것과 살아남은 것
이 모두 나의 기억 속엔 생생히

사라졌음에도 또렷하며
살아남았음에도 흐릿한

갇혀버린 무언가들

고인 웅덩이에 떨어지는 빗물의 파동은
흙을 타고 나에게 닿아
가라앉은 침전물을 휘저어
공허했던 자리를 채운다.

소금쟁이가 퍼뜨린 동심원은
아직 내 안에서 울린다

비가 오면 나는 여진히
물웅덩이를 떠다닐 소금쟁이를 기다린다.

어딘가에는 있을 소금쟁이가

다시 이곳에 나타날 수 있도록 비를 기다리며

여름 하

여름 아래의 눅눅함
습기가 차오른 방바닥에
볼을 맞대고
식어가는 냉기를 찾아
이리저리 볼을 옮겨본다.

쌓인 먼지와
피어나는 곰팡이와
들뜬 벽지와
밝지 않은 형광등은
이미 내가 되어
이상을 꿈꿀 수 없게 됐다.

일지 못함만큼 슬픈 일이
더 있을까

지난여름에도 이번 여름에도

내가 알지 못하는 여름이

저 밖에서 저들끼리 뒤얽히는 때

녹의 향연

녹의 향연
싹이 틀 때 우리는 봄이 올 것을 알았고
봄이 온다는 것은 이제 곧 여름

녹의 계절
푸름은 하늘과 땅을 가리지 않아
제각기 다른 푸름을 뽐내고

짙어진 녹은
지금이 제 계절임을 과시한다
모두가 단풍들고 시들어갈 때도
주눅 들지 않는 녹이 있어

사계는 녹의 향연

계절 식단

여름을 먹는다
이전에는 봄도 가을도 먹었다
그리고 겨울도 먹었다

눈을 감았다
덮쳐오는 무언가가 무서웠어
정체를 알 수 없는 것들이 끊임없이 밀려오는데
다들 그게 아무렇지 않은가 봐

아직 완전한 여름은 오지 않았다 생각했는데
낮은 벌써 34도 올해 첫 폭염주의보가 내렸다
반바지를 꺼내입으면
이제 더는 긴바지를 견딜 수 없을까 봐
긴바지를 꺼내입은 채로
아이스크림을 사러 갔다

이렇게 더운 날 그냥 집에 있을 걸 그랬나

뒤늦은 후회를 해봐도 아이스크림이 녹지 않을 그늘은
없다

그래서였을까

먹은 것들이 체해 버린 건지

아니면 더위를 먹은 건지

나는 삼켜버린 계절들을

토해낼 수밖에

열린 창문으로 튀어나온 울음소리

다들 내가 괜찮대 문제없대

그럼 나는 지금 왜 체한 걸까요

다들 이렇게 얹힌 채로 살아가는 건가요

이제 와 무엇이 사실인지는 중요하지 않아

나는 지금도 여름을 먹고 있어

몇 달 후면 가을을 먹을 거야

그리고 내년 이맘때쯤엔 또다시

여름을 먹고 있겠다

집어삼키자, 저 계절들을.

묵비

어떤 것의 정적은
수많은 말을 눌러 담아 만들어진다

혼란에 엉킨 나의 생각은
풀릴 줄 몰라 목구멍에 걸리고
삼키지도 내뱉지도 못해
당황스러움만이 표정에 드리운다

보내지 않은 편지가 상자에 쌓여
책 한 권의 분량을 이루고
의미 없이 읽어내린 수많은 글자는
저 너머에 무질서하게 얽혀

생장점이 다친 기형의 네 잎 클로버는
애석하게도 끝내 발견되어 생을 다했다

우표가 붙지 않은 편지와

밀봉하지 않은 편지

애초에 전할 생각 없던

수취인 불명의 편지들 사이에

네 잎 클로버 하나 끼워두고

아무도 볼 수 없게 불을 붙인다

나무 장작은 소리라도 내던데

불이 붙은 편지들은

미련 가질 새도 없이 활활 재가 되어

불길조차 오래가지 못했다

다만 나무는 죽어서도 꼿꼿하다

과분한 양분에 흙을 뚫고 올라온 뿌리는
까지고 밟혀 상처는 다시 아물고
움츠리면서도 흙을 다져 붙잡고

빛을 보지 못한 저 깊은 곳의 뿌리는
틈이 없는 흙 속을 파고들어
저 하늘의 잎맥에까지 양분을 전해

하늘에 다다른 새순과
가장 깊은 곳에 발을 내린 잔뿌리는
서로를 본 적 없는 동체

긴 생을 보내고 자리를 내어준다
밀려난 뿌리와 해가 덮인 새순

다만 나무는 죽어서도 꼿꼿하다

밑동이 썩어 버섯이 자라도
바스라진 최후의 잎이 추락해도

벌레 먹은 가지는 새들의 쉼터가 되고
습기 먹은 몸통은 이끼의 터전이 되고
견디지 못해 쓰러진대도
결국 누군가의 은신처일 테니

뿌리는 썩어 토양이 되고
가지는 불쏘시개로 타오른다

고목은 오래도록 제자리를 지킨다

계절 나기

유월과 칠월 그리고 팔월을 지난 우리는
많은 땀을 흘렸고 많이 눈부셨다
자신을 태우는 태양과 함께였던 지난날들

이제는 조금 식어보려 한다
식힘 없이 끓어오르는 것은
오래도록 부글댈 수 없기에
타버리지 말고 우리 곱게 그을리자

팔월에 떨어진 잎은 낙엽조차 되지 못하고
그저 습한 기운에 무른
지저분한 것에 그치지만
매달린 단풍은 떨어진 낙엽의 설움을 알지 못하고
떨어진 낙엽은 밟히는 것조차 서러워 녹아내리네

그리고 팔월에 보내는 성대한 인사
끝을 갈무리해 다음에게 넘긴다는 것은
미련 남겨서도 안 되며
실패해서도 안되고
우리의 원대한 꿈을 위해
나를 희생하는 것

끝이 아니기에 더욱 고결한 작별
구원의 손길 서로가 내밀고

31일 지나 1일을 향하는 것엔
생각보다 크나큰 에너지가 든다

추억을 미련에 버무려 잘 담아두면
내년엔 곱게 익어 그 때깔이 아주 볼만할 거야

한동안은 열어보지 않을 뚜껑을 덮어두자
언젠가 이맘때쯤 다시 열어
더욱 풍성해진 향을 즐기고선
다시 덮어두자
그렇게 조금씩 오래도록

구원의 손길 우리는 맞잡고
완벽하지 않은 우리는
서로를 옆에 두어 완전해지고

우리 함께 뚜껑을 덮은 장독 위에 올라앉은
완전하게 넘어가는 해와 달
그 자리를 지키는 별들

창

낮 동안 내내 울던 매미는 이제 고요하고
풀벌레와 개구리 소리가 선명하다
어지럽힌 마음이 다시 고요해지는 순간
습한 공기가 스산히 고개를 들이밀어도
끝내 창을 닫지 못하는 이유

추억은 새벽 공기를 타고 담을 넘어
발소리를 죽인 채 창으로 들어오니.

거부할 길이 없는 나는 또다시 몸을 내맡기고
그저 지나가길, 되도록 오래 어루만져
나를 오래도록 살게 하길.

결코 정적이지 않을 바다, 파도

철없던 순간은 찰나였고
남은 건 빛바랜 필름 같은 찰나의 잔상들

산을 등진 바다와
바다를 등진 파도

때론 파도가 손을 맞잡아오고
산은 안개로 기척을 숨길 뿐

코앞에서 올려다본 산맥은 거대했고
코앞에서 내려다본 바다는 한없이도.

녹이 스는 파도 아래

끝을 향해 내몰린 내게 남은 것은
희망이기보다는 기대였고 바람이었다.
의지 없는 동경과 간절함 없는 원망
나를 이루는 것은 허망했고
나는 내게서 끝내 이유를 찾지 못했어.

겨우내 당신이 춥지 않았길 바란다.
꽃이 핀 봄에 당신이 외롭지 않았다면
뭉게구름 아래의 여름엔 나를 털어버리고
가을에는 단단히 영근 밤 한 알 입에 물자.

반복되는 계절 아래에서
우리는 고작 백 번 정도의 계절들을 맞이하겠지만
반기지 못한 계절이 많더라도 서운해 말아.
당신이 함께한 계절은 그 어느 해 보다도 길었다.

늦봄 당신이 건넨 세 팩의 다 물러가는 딸기를 품에 안아

봄이 다 가기 전에 내가 좋아한 딸기를 서둘러 안겨준 당신의 마음을 알아.

비록 설탕 절인 잼이 되었지만

그 덕에 여름에도 새콤한 딸기를 베어 물 수 있을 거야.

당신에게 인사 한마디 건네지 못하고 끝을 맞이하는 것이 두려운 나는

전하지 못할 편지를 수두룩하게 써놓았다.

군데군데 남은 당신의 흔적을 당신은 찾지 못할 수도 있겠지

숱한 고백들을, 당신은 모르게 흘렸다.

녹이 스는 파도 아래 흘려보낸 눈물방울처럼

입춘 지나 개구리가 잠에서 깬 무렵, 당신도 나를 그저 떠올려줘.

그리고 장맛비에 무성해진 풀에 가린 흙과 같이 덮어버리길.

활강

여름은 이른 가을을 맞아
날은 아직 뜨거운데
잎은 빨갛게 익어가고
끓어오르는 석양은
아직도 여름을 가리키는데
저 혼자 급하게 가을을 맞은 잎은
미처 뛰어내리지 못해

오지 않은 가을을 외쳐댄다
아직 무성한 초록들 사이에서
날개를 펴지 못한 활강
호를 그리며 날아가다 돌풍을 맞아
산중의 연기를 타고 오른다

여름밤의 올빼미 날갯짓은

삭막하리만큼 고요해

여름은 아직 끝나지 않았으니

활강은 잠시 미뤄두고

서두르지 않는 날에

작별에 고할 말을 미리 떠올린다

녹(綠)

많은 수식을 받는 여름은 짙다.
청량과 눅눅, 푸르고 강렬한, 그리고 수많은 말

내가 떠올리는 여름은 항상 그립다.
그 순간의 더위와 눅눅함, 찝찝함은 온데간데없고
나무 그늘 아래서 불어오는 바람에 땀을 식히는
그러한 청량함 만이 남아있는 것이다.

여름의 햇살은 강렬해서
많은 것을 바랜다.
창가 가까이 오랫동안 꽂아 둔 책등은 색이 바래 푸른빛
만 남았고
좋지 않은 나의 기억도 바래서
그저 좋고 그리운 기억만으로 남아있는 것이다.

부정이 바래고 긍정만이 남은 기억은 오히려 슬픔이 가득하다.

우리는 여전히 푸르다.
우리의 푸름의 끝은 누가 정하는가
어느 순간 길을 돌아볼 때 알지 못했던 푸름을 왜 그제야 발견하게 되는가

파랑이 인 나의 여름이 노란 태양 빛을 누려 완성하는 여름
눈을 멀게 한 여름 해가 걷히고 드러난 여름

여전히 짙은 여름을 우리는 걷는다.
이 순간에도 색은 바래고 있지만
그래도 푸름은 오래간다.

내년에 떠올릴 올해의 우리는
더없이 즐거웠고 청춘이다.

삶은 살아가는 이들을 위한 것이니

　그저 검은 밤하늘도 실은 은하수로 덮여있을 거라고 내 두 눈으로 직접 보진 못했지만 분명 저기에 존재하고 삶은 살아가는 이들을 위한 것이니 우리 끝끝내 남겨지자 기나긴 삶을 희뿌연 삶을 그래도 살아가자 봄나물을 먹고 과실을 베어 물고 낙엽을 치우자 둘러앉아 김장도 하며 내릴 눈을 기다리자 그리고 또다시 봄나물을 무쳐 먹자 저 들에 저 산에 아직 먹어보지 못한 나물이 많더라 이름 모를 들풀의 이름을 모두 다 욀 때까지 산과 들을 오가자 땅의 이름을 모두 알게 되면 모든 별을 보고 모든 별자리를 잇자 우리를 위한 그늘도 드리우자 삶은 살아가는 이들을 위한 것이니

필사

내리 적다 글자를 틀려도
지우지 않기로 했다.

틀린 글자는 그저 두 줄 죽죽 긋고
줄도 넘기지 않은 채로 이어 적기로 했다.

애초에 틀린 적 없는 것일지도 모른다.
내 삶을 필사한 노트

빈칸도 빈 장도 없을 테지
채우지 않은 줄이 없어
빽빽하게 파삭거리는 종이의 감촉을 즐길 테야.

차곡히 쌓인 나의 날들
그 속엔 너도 있고, 스친 인연도 있고, 운동장을 뛰노는 아이들의 목소리와 예고 없이 내린 빗방울도 있다.

나는 태어났고
어쩔 수 없는 일은 많구나

늘 꿈은 꾸고 있고
매번 좌절하지만

아직 별이 되지 않은 나를 여전히
재촉하지 않는 다정함을 믿어.

노트 한 권을 적는 그 날
내게 주어질 또 한 권의 노트
죽을 힘을 다할 필사는 여전히.

상실한 계절

우린 아마 이젠 맞이하지 못할 일상들
하교를 알리는 종소리는
이미 저 운동장을 지났고

해질녘 우리만 남은 텅 빈 교실
커튼이 바람에 부푼다

책상 위에 올라앉은 너의 머리칼은
빛을 받아 투명하게 반짝여
주황빛이 되어버린 교실 안에서

창을 등진 네 얼굴은 보이지 않지만
분명 환히 웃고 있을 너를

털다 만 칠판지우개를 한 손에 쥔 채로

마르지 않은 대걸레를 기대놓은 채로
내 눈에 담아 삼켰다.

우리가 상실한 것은 무엇인가
진하게 자국 남은 이것들을
상실이라고 할 수 있는가

너도나도 우리 모두 한자리에 모이면
그 날들을 분명히 기억하고
여전히 그 속에서 웃고 떠드는데

다시는 돌아가지 못할 그 시절이라며
이야기하고 공감하고 웃을수록
주체할 수 없이 커진 상실감

그러나 입 밖으로 소리 내어 말하지 않으면
정말로 잃어버릴 것 같아

여전히 우리는 곱씹는다
단물이 전혀 나오지 않을 때까지
그러나 단물이 메마를 일은 없다

여전히 분진이 날리고 있고
널어둔 대걸레는 아직 마르지 않았다
앞으로도 우리가 계절을 상실할 일은 없다

동심

해가 지고, 저물고, 기울고
달이 뜨고, 차고, 떠오르고

한밤이다 올빼미 운다
드물게 내려온 시골에서의 밤
흔들리는 대숲은 스산하고
축축이 올라오는 흙 풀 냄새
멈추지 않는 내 숨

활기찼던 낮도 한밤중에는 고요하다
떼지 않은 아궁이 장작 타는 소리가 들려온다
발끝에서 달랑이는 고무신
별을 세는 하루

산타가 정말 존재할 것이라 믿어본 적 없다

아이들을 겁주는 구전동화 속의 요괴들도 모두가 무서
워하던 귀신들도 나는 믿어본 적 없다

저기 보이는 것은 도깨비불인가
홀리지 않도록 조심해
엄마가 속삭였던 말이 불시에 떠오른다
흘려들은 조언이 많다

의심 많은 아이에겐 오지 않은 동화들이
겁이 많은 어른이 되어서야 내게 찾아온다

엄마가 잠들 때까지 읊어준 이야기들을 돌이켜본다

2부
서툰 나의 세계

무지개를 묻혀

나는 오늘도
서정의 시를 써 내려가.

너와 나는 무지개를 보고선
정말 칠색이 모두 있는지
무지개를 낱낱이 분해하려 눈을 찌푸렸지

가까워진 나의 두 눈썹
그런 나를 놀리려 고개를 쭉 뺀 너
나는 무지개의 칠색을
너의 그 두 눈에서 보았어.

생에 몇 번 보지 못한
칠색의 무지개를
너와 함께 보아 다행이야.

다만 이제는
무지개를 볼 때면
네가 떠오르겠다는 게
나를 조금 슬프게 해.

여전히 나는 무지개를 보면
눈을 찌푸리고 무지개를 분해해
그중에서 고르고 골라 가장 예쁜 색만

내 진심을 가득 담은 이 서정시에
칠색을 잔뜩 묻혀 네게 보내

이 글이 작자 미상이 되더라도
네가 나를 떠올릴 수 있게

이 글에 닿은 네게 칠색이 묻게

나는 지금도 무지개가 묻은 너를 그려

고백

이제야 알게 된
사랑받는 자 보다
사랑을 하는 자가
더 행복할 수 있다는 사실

설익은 사랑에 싱그럽던 너의 두 뺨 사이에서
뜸 들이며 힘겹게 흘러나온 말

너를 좋아해
사귀자던가 어쩌자는 게 아니라 그냥 알고 있으라며
여름비치고는 수줍었던 그 빗방울처럼
수줍게 발걸음을 돌렸더랬다.

여전히 사랑에 서툰 나는
이리저리 치여 모든 게 성치 않아

무언가 잊어버릴 것만 같을 때
그 날의 너를 기억해.

순수와 용기가 담긴 너를
사랑으로 가득 찼던 너를

술래

그대 닮은 고요한 대기는
바람 한 점 불지 않고

보이지 않는 그대처럼
구름도 한 점 보이지 않아

태양은 내리쬐고
나에겐 들어 쉴 그늘조차 없어

홀가분히 여름을 맞고
우려는 먼발치에

올려다본 하늘의 태양은 강렬해서
내 눈꺼풀을 뚫고 들어와

눈을 감아도, 눈을 떠도,
보고 싶지 않아 고갤 돌려도

눈에 박힌 태양은 푸르고
잔상이 되어 나를 쫓아와

너를 쫓는 나를
그대는 용서할까

고요한 여기,
나는 너와 있어.

소원했던 것이 아니라 우린 그저 미성숙했음을

네가 궁금했다.
너는 누구와 어떤 대화를 나누는지
나와 닿지 않을 때 너는 무엇을 하는지

서로 다른 길을 가게 된 우리 사이에 놓인 각자의 일들
그래도 우린 함께라 자부했지만
매 순간 쌓여간 낯선 서로의 시간

미처 너에게 하지 못한 질문에 대한 답은
나의 추측이 얹어져 몸집을 불리고
네가 되었나 보다.

내 안의 너와
내 밖의 네가

충돌하고 부서져
부서지는 쪽은 나였고

질문을 담아두지 말걸.
꺼내지 못한 질문과 말들이
되려 널 멀어지게 했다는 것을

나는 이제야 알았다.

연락이 닿지 않는 너는 정말 잠에 들었던 걸까?

내가 모르는 너에 대해 애써 무심한 척했지만
사실 나는 그때 너를 기다렸어. 사실 나는 그때 내가 모
르는 너의 친구를 질투했고 내가 모르는 새 생긴 너의 생채
기가 아팠고 나는 낄 수 없는 너의 약속에 따라가고 싶었고

나만 빼고 공감하는 이야기에 따로 설명해주지 않는 네가
미웠어. 다른 이의 입을 통해 듣는 너의 이야기에 씁쓸해하
다가 실은 나도 내 이야기를 네게 전부 하지 않았음을 알아
버렸다. 네가 모르는 나의 친구와 너는 낄 수 없는 약속을
잡으며 너는 공감 못 할 이야기로 웃어대며.

　우리는 고작해야 십 대였으니
　성숙한 척했지만 실은 모두 어린애에 불과했고
　센서 등이 꺼진 비상계단에서 부딪힌 입술은
　열리지 않은 우리의 속마음만큼 꽉 다물려있었다.

　지금의 너와 나라면
　문제없었겠다고 종종 생각하지만

　혹시 또 모르지,

내가 여전히 그 시절의 소녀일 수도

네가 여전히 그 시절의 소년일 수도

그때의 우리는

괜찮지 않았음을 이제야 안 것을 후회한다.

이제야.

낯선 것에 이름을 붙이는 방법

여전히 나는 모르겠다.
낯선 것에 이름을 붙이는 방법을.

나는 정의 내리지 못한 것들에 너는 잠시 침묵하고는 금
세 신나 하며 이름을 붙여줬지.
너도 고심할 때가 있었고
대수롭지 않게 툭 내던질 때도 있었던 것 같다.

네가 없을 때 만난 낯선 것에도
너와 함께 길을 걷다가 만난 낯선 것에도
너만 알았던 낯선 것에도
우리 모두 전해 듣기만 한 정체 모를 것에도

이름을 붙여줄 때면
너는 자주 그것들을 곱씹었고

어떤 때는 내 의견을 물어왔지.

나는 항상 대답을 얼버무렸지만 너는 내 대답에서 해답을 얻은 듯 이름을 지어냈어.

내가 소심하게 생각해낸 이름을 너는 어떻게 그렇게 기막힌 아이디어를 낼 수 있냐며 나를 추켜세우며 선정했지.

네가 모조리 이름을 붙여준 덕에

나는 그것들을 낯설어하지 않았고 두려워하지도 무서워하지도 않을 수 있었다.

때로는 누군가에게 설명해 줄 수도 있었어.

그럴 때면 네가 받아야 할 칭찬을 대신 받은 것에 씁쓸함을 느꼈다.

경외로 가득 찬

낯선 것에 이름을 붙이는 방법.

여전히 나는 몰랐지.

내 삶에서 나 대신 네가 붙여준 이름들
그것들을 떠올릴 때면 너도 함께 두둥실
꿈과도 같은 너와의 시간 위에
위태롭지만 그렇게 내가 서 있다.

네가 쌓아 올린 나의 시간
너로 인해 마주할 수 있었던
더는 낯설지 않은 것들

다만 네가 없는 지금 나는
푹푹 꺼지는 발밑을 하나둘 겨우 다져가며 서 있지만
네가 붙인 이름들의 무게는 상당하여
나를 쉽게 무너지도록 두지 않아.

네가 이름 붙인 것들을 밟고 서서

네가 흘려내고 있는 낯선 것들에 내가 이름 붙일게.

그렇게 다시 너에게 다가가면

우리 이제 더는 모르는 것이 없을 거야.

의문

열대야에 녹아내린
나의 정신은
나의 손등을 타고 흘러
팔꿈치까지 도달한
아이스크림마냥
목을 타고 쇄골을 타고
가슴을 타고 명치를 흘러
도달한 곳은 배꼽
도대체

왜

하필

여기?

해변, 옷자락

필름 사진기에 담긴 너와 나는
여름을 빌려 터지는 불꽃에
소원을 빌었다.
아득한 곳에서 터져 떨어지는 불똥은
우리에게 닿지 못한 채 사라졌다.

양동이에 눌러 담은 모래에는
순수가 담겼고
그걸 엎어 만들었던 모래성에는
천진이 난만했다.

다시 돌아온 해변에서
우리는 바닷물에 고작 발을 담갔고
옷이 모조리 물에 잠겨도
상관하지 않던 그때완 달리

바지는 종아리까지 끌어 올리고
파도는 겨우 발목에서 철썩이게 해

젖지 않은 우리 옷이
그간의 세월을 말해주듯
메마른 옷자락이 나부낀다.

봄여름 다음은

그 여름 너는 봄처럼 웃었고
너의 그 웃음은 좀처럼 웃지 못한
나의 입가에 호선을 그리게 했다

씨를 심어 싹을 틔운 꽃의 이름은 몰랐지만
너의 호탕한 웃음소리를 들을 수 있음에 만족했고
쏟아지는 비를 막지는 못했지만
젖은 머리의 너를 볼 수 있음에 만족했어

봄은 갔고 여름의 한복판
조개껍데기를 어설피 엮은 목걸이 같은 일상에
너는 단 하나의 진주 알

여름을 보내는 비가 내릴 때
빗방울은 거미줄이고 풀잎이고 어디 할 것 없이

진주 알처럼 맺혀

떨어지지 않고 증발해가는 것들

너는 봄이었나 여름이었나

다가오는 가을과 겨울에 너는 무엇일까

반송

실체 없는 이 마음을
너에게 전할 방법
가늠 못 할 이 마음을
너에게 보일 방법
단 세 글자의 말에는 담기지 않는
이 마음을
여름에 담아서 보내

뜨거운 해와 땅
푸른 하늘과 나무
이 모든 것엔 너와 나의 이야기가 담겼고
몰려오는 파도와 구름
쏟아지는 비와 땀
이 모든 것엔 나의 그리움이 담겼어

한낮엔 매미가
밤중엔 풀벌레 울음이 가득한 이 여름
너와 나의 여름은 아직 그대로

여름에 실린 마음을
너는 나에게로 반송하고
나는 그다음 해 또다시 전송
반송
전송
…

우리는 반송하는 편지에 답장을 덧붙여
반송과 전송을 오가며
불어나는 여름

그 애 미소

음악을 하겠다던 그 애는 수업에 집중하는 내 옆에서 노래 가사를 고심했다.

나는 공책을 엿보았고 그 애는 부끄러워하지 않고 노트를 펼쳐 보였다.

가사뿐이던 노래는 다음 날 소리가 되어 그 애의 입을 타고 나의 마음에 내려앉았다.

나는 음악엔 문외한이라 고작 가사를 첨삭해주거나 흥얼거림을 들어주었고 둥그런 그 애의 얼굴과 미소를 노트에 그려주었다.

1년 남짓한 시간 동안 나는 우정을 쌓았다.

우린 1년간의 수업시간과 쉬는 시간, 점심시간과 방과 후를 함께했다.

둘만 함께 떠난 졸업여행을 끝내고

그 애는 사라졌다.

수년이 지나 만난 동창에게 소식을 물어도
여전히 그 애의 소식을 알 수 없다.

어렴풋이 그 애가 사라질 것을 알고 있었는지도 모른다.
아니, 실은 그렇게 나를 다독였다. 그럴 줄 알았다고. 이
미 예상했던 일 아니냐고.

그 애는, 우리의 1년이 담긴 노트를 다 썼을까?
그 애는, 그 노트를 여전히 버리지 않았을까?
그 애는, 바뀌어 가는 강산을 지켜보고 있을까?

가끔은 그 애가 나중에 예명으로 쓰겠다며 스스로 지었
던 이름을 포털 사이트나 SNS 따위에 검색해본다.

그 애라면 여전히 음악을 할 것 같아서.

그런데 그 애가 그 이름에 무슨 한자를 썼던가.
기억나지 않음은 내가 그 애를 잊었단 의미인가.

그 애와 쌓았던 우정이
그 애가 사라지고 난 후 쌓인 것이던가.

걱정과 의문 다음은 분노였고
그립다가도 결국엔 무정(無情).

남은 것은 미련이지
감정이 아니다.
아아, 미련도 감정이던가.

네가 지었던 너의 이름을
여전히 기억하는 것은
아마 형편없는 나의 부채감

너에 대한 기억도
모조리 깎이고 다듬어져
내 입맛에 맞는 추억일 뿐.

내 기억 어디에도
온전한 너는 없다.

너에게도 온전한 내가 없듯
우리 이제 우리로 엮이지 말고
나와 너, 너와 나로 살아가자.

너에 비해 나는
한참이나 늦었구나.
우린 여전히 자라난다.

다시 한번

아직 거세지 못한 비가 내린다
라일락 향기를 타고 내게 닿은 너와의 추억
비에 젖은 그 날의 신발과
젖지 않은 오늘날의 장화

조만간 비가 거세질 거래.
부디 크고 든든한 우산을 챙기고
장화를 꺼내도록 해
비에 젖은 양말의 찝찝함을 달래줄
푸름이 이젠 우리에게 남아 있지 않으니까

그래도 또다시 양말을 적시고 싶다면
나도 한 번 네 곁에 서 볼게
보도블록 물웅덩이에 뛰어들고
질퍽해진 흙길을 두려워 않고

화단에 둘러앉아 달팽이 지렁이를 구경하고
우산 밖으로 앞서나간 걸음을 좁히지 않고

그럼 우리 그때 그곳에서 다시 만나

투명 아메리카노

싸구려 아이스 커피를 손에 쥔 채 우리는 많이도 걸었다. 오래도 걸었다.

얼음이 녹아 옅은 아메리카노를 더 옅게 만들 때까지.

거리를 두고 들려오는 기타와 노랫소리는 우리를 설레 게 하기 충분했다. 나는 너조차 모를 너의 감정에 신경이 곤 두서고

이상.
이상의 감정을 나는 나 몰라라

네 눈동자 색을 닮았던 아메리카노가
언제 이렇게 투명해졌는지
너를 향한 나의 모든 것도 투명해졌을까 봐

달그락거리는 얼음을 아직 먹지 않았어

빨대로 건져내려다 곧장 입으로 털어 넣고는

이것 봐, 여름에도 입김을 만들어 낼 수 있어

의미 있음

철 지난 성장통에 잠 못 이루는 밤

찌는 더위가 방 안으로 스미고

꽃잎은 낭만이 되고 낙엽은 추억이 되어

손꼽아 기다린 계절 앞에서 나는 그저 찬란히 눈이 부시
네

동백의 계절과 목련의 계절 지나

여름의 끝에 핀 능소화

계절을 기다린 너와 그런 너를 좇은 나

그림자의 형상이 되어 더는 나아가지 못할 과거는 남겨
두고

빛을 받아 자라나자

아직 담벼락엔 궂은 비바람을 견딘 능소화가 피어있다

추락하는 모든 것이 쓸쓸하지는 않고

추락하는 모든 것의 끝이 허무하지는 않듯이

지금 나의 하강 또한 무의미하지 않아

나보다 한참을 짧은 시간을 사는 너
내가 허무히 보낸 시간이 너에겐 아주 길었겠다

동행

들판 아래 그 어딘가
너와 함께.
무성한 숲속
밝은 빛을 내비치는
신비로움의 형상

하늘을 가르는 새의
소리 없는 지저귐이
내 눈앞에 와닿은 날

동행은 끝이다,

푸르름은 많은 생명을 담아
나를 내어주어 너를 살게 하고
너를 취함으로 나를 살게 해

우레 치는 그 짧은 순간에만
너와 나는 두 눈을 마주했고

나는 너를, 너는 나를.

두 눈은 마주하고도
먼 곳을 바라보아

결국엔 엇갈려 나아가고
결말로 치닫는 너의 발걸음엔
나의 미련이 한가득 매달려 있다

아직 너와 함께 나눌 우리만의
이야기가 있어

모든 이야기가 끝이 나도 우리는 또다시

한 번씩, 또는 여러 번 반복하자

그것이 우리의 결말이 될 수 없게

파종

떠오른 구름의 그림자가 우릴 덮쳤다.

내리지 않는 비의 추적임이 마음속에서 울렸다.

잠시 가려진 여름 해의 열기가 주춤했고

그림자 속에서 유난히 짙은 초록을 뽐내던 너는 나를 위로했다.

모든 것이 서툴 나이에 완전했던 너의 그 위로는 내 속에서 비를 맞고 싹을 틔워 끝내 해를 보고 있어.

네가 심은 씨앗은 이제 울창하다.

흙바닥 위의 일렁이는 아지랑이처럼

울렁이는 나의 속과

겪은 적 없는 것에 대한 노스텔지아

그 속에서 방황하는 나를 찾을 너를 하염없이 기다린다.

오지 않은 너를.

내가 좋아하는 건

내가 좋아하는 과일을 맞춰봐.

토마토,
수박,
참외,
복숭아.

또….

우습지,
여름 과일 중 내가 가장 좋아하는 것은 없는 것이.

실은 나는 사람 많은 워터파크도 해수욕장도
살갗이 많이 드러나는 수영복을 입는 것도
그다지 좋아하지 않았어.

하지만 나는 매년 여름 과일을 먹었고

다들 가는 피서를 가고

다만 계곡을 여전히 가보지 못한 것은 조금 아쉽다.

미련이 남을 줄은 나도 예상하지 못했다.

미련이 남은 이유는

...

내가 여름을 사랑한 이유를 맞춰봐.

바다를 지나온 여름, 여름을 맞이한 녹

서로를 환대해.
웃음을 가득 싣고 닿지 않는 거리에서부터 손을 흔들어.

서로가 예상한 환대 그 뒤에 이어진 작별
다를 건 없지.
웃음을 잔뜩 머금고 보이지 않을 거리까지 손을 흔들어.

함께 웃었던 해를 뒤로하고 새로운 계절을 기약해
네가 어느 곳에 있든 나는 너를 뒤쫓아 갈 거야
가볍게 내뱉은 고백을 너는 환대 했었지

너의 환대에 나도 네게 보답하고 싶었다
어설픈 나의 환대가 네게 어떻게 가 닿았을지

바다를 건넜던 너는 다시 돌아올 테고

나는 이 자리에서 여전히 기다릴게

떨어진 만큼 달라진 우리를 맞이하자

구태여 소리 낸 여름

발 행 | 2024년 7월 8일
저 자 | 단하
펴낸이 | 한건희
펴낸곳 | 주식회사 부크크
출판사등록 | 2014.07.15.(2014-16호)
주 소 | 서울특별시 금천구 가산디지털1로 119 SK트윈타워 A동 305호
전 화 | 1670-8316
이메일 | info@bookk.co.kr

ISBN | 979-11-410-9338-9

www.bookk.co.kr